Guide des
OISEAUX

D1290877

Adaptation de René-Pierre [illegible]

Illustrations de T. Boyer

HACHETTE

Sommaire

© 1978 by Usborne Publishing Limited
© 1979 Hachette, Paris, pour le texte français

Comment utiliser ce livre

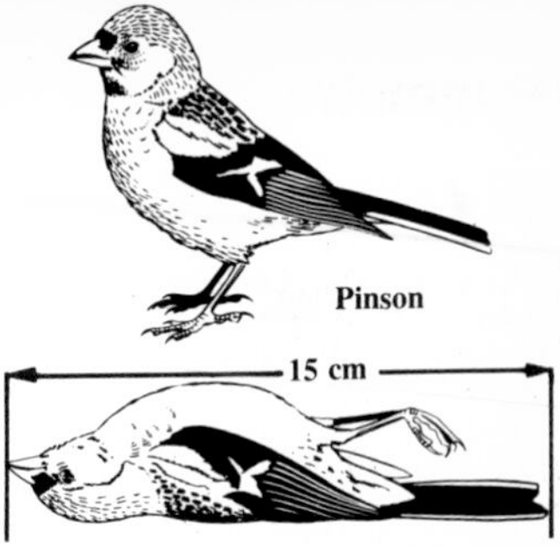

Ce guide vous permettra d'identifier de nombreux oiseaux qui vivent ou passent une partie de l'année en Europe. Ne l'oubliez pas quand vous partez en observation. Les images présentent chaque oiseau perché ou en vol, selon son comportement le plus fréquent. Les images des femelles (♀) sont séparées de celles des mâles (♂) si elles sont très différentes. Certains jeunes sont également dessinés. De même a-t-on différencié les plumages d'été et d'hiver lorsqu'ils changent. La description de chaque oiseau indique où le chercher ainsi que sa taille. On mesure un oiseau de la pointe de son bec à l'extrémité de sa queue (voir schéma). Les oiseaux qui occupent une même page ne sont pas toujours à la même échelle.
Chaque fois que vous repérez un oiseau, inscrivez une marque dans le petit cercle placé à côté du dessin qui le représente.

Fiches
Vous trouverez à la fin du livre un répertoire des oiseaux que vous aurez rencontrés. Comptez 5 points pour les animaux familiers et 25 pour ceux qui sont rares. A la fin de votre journée d'observation, vous calculerez votre total. Vous pouvez cocher les plus rares lorsque vous les voyez dans un film ou à la télévision.

Page	Espèces (Nom de l'oiseau)	Score	Date 4 mai	Date 1er juin	Date
5	Cormoran	15	15	15	

Régions survolées dans ce livre

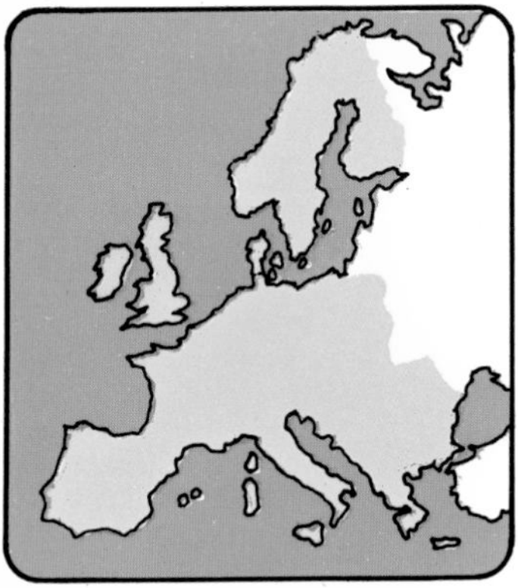

Sur cette carte, le territoire jaune recouvre les pays d'Europe où ce livre peut être utilisé pour observer les oiseaux. Ceux de chaque pays ne sont pas décrits et il est, aussi, des oiseaux qu'on ne trouve pas partout dans cette zone. Les descriptions de ce livre se rapportent, évidemment, aux régions habitées par les oiseaux. De plus, un oiseau peut être rare dans un pays et abondant dans un autre. Cherchez-le chez vous, mais aussi lorsque vous allez à l'étranger.

Pourquoi observer les oiseaux ?
On rencontre des oiseaux partout et leur observation constitue un bon passe-temps. Lorsque vous pourrez nommer les oiseaux que vous voyez le plus souvent, vous voudrez certainement en savoir plus sur eux. Vous trouverez page 57 une petite liste de livres intéressants.

Où observer les oiseaux ?
Commencez à les observer dans votre jardin, si vous en avez un, ou même de votre fenêtre. S'il y en a peu, vous disposez de la nourriture et de l'eau pour les attirer (voir pages 54 et 55 les instructions pour dresser une mangeoire). Une fois que vous aurez identifié ceux qui peuplent votre environnement immédiat, allez dans le parc le plus proche, observez les mares et les rivières, si possible tôt le matin pour éviter la foule. Les cours de récréation, les sablières et même les décharges publiques attirent les oiseaux. Poursuivez vos investigations en vacances.

Ce qu'il faut observer
Remarquez la forme de l'oiseau en vol, cela vous aidera. Notez s'il vole en ligne droite, s'il plane, s'il bondit ou stationne en l'air. Notez sa couleur et toutes les marques sortant de l'ordinaire, la forme du bec, la couleur des pattes, la forme des extrémités. Les chants étant difficiles à identifier, ils ne sont pas mentionnés dans ce livre.

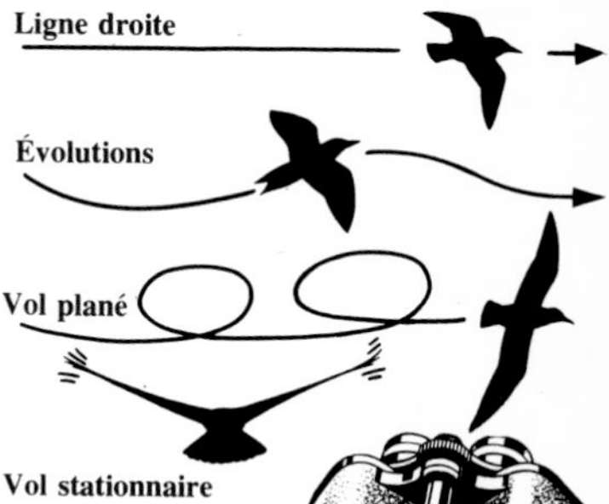

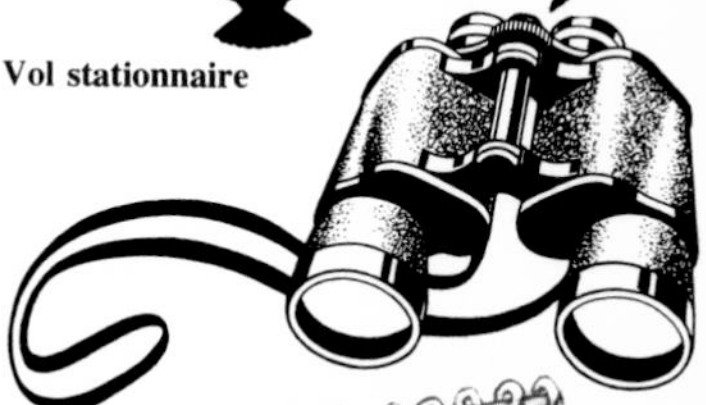

Jumelles
Pour mieux observer, vous voudrez rapidement utiliser des jumelles. Essayez-en d'abord plusieurs paires. Les meilleures sont les 8×30 ou 8×40 (jamais plus de 10×50.)

Carnet de notes
Ayez un carnet sur lequel vous noterez les différents oiseaux observés. Consignez le lieu et l'heure où vous les avez vus. Faites de rapides esquisses qui vous aideront ensuite à les identifier.

Cormoran, fou de bassan, cormoran huppé

Cormorans et cormorans huppés volent à fleur d'eau

◂ Cormoran huppé

On l'observe toute l'année. Nidifie en colonies sur les côtes rocheuses. Plonge sur les poissons. Les jeunes sont marron. 78 cm.

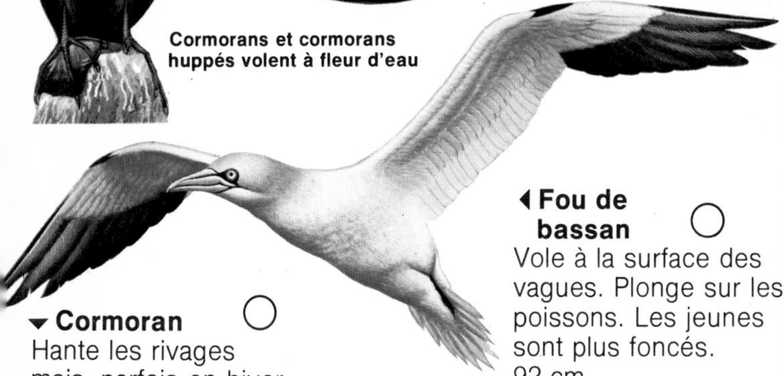

◂ Fou de bassan

Vole à la surface des vagues. Plonge sur les poissons. Les jeunes sont plus foncés. 92 cm.

▾ Cormoran

Hante les rivages mais, parfois en hiver, l'intérieur des terres. Certains ont la tête et le cou gris pendant la nidification. 92 cm.

Oies

Bernache cravant ▸ ○
Cette petite oie sombre se voit dans les estuaires en hiver. 58 cm.

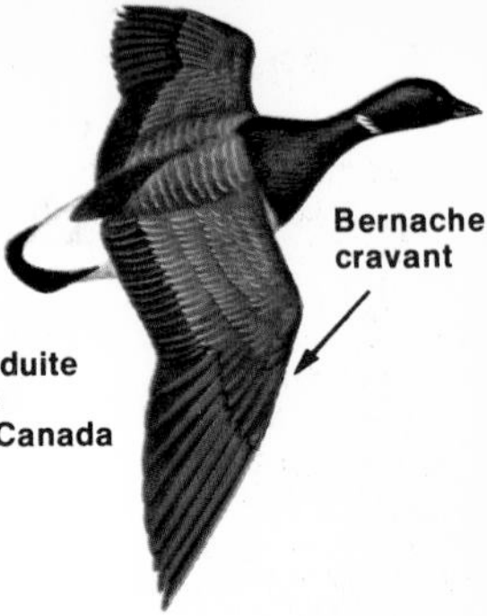
Bernache
cravant

Cette oie
a été introduite
en Europe
depuis le Canada

▾Oie cendrée ○
Nidifie en pleine nature. En Europe, les oies sauvages s'observent près des côtes en hiver. 82 cm.

Oie du Canada▴ ○
Cette bernache est très bruyante. On la voit dans les parcs. Nidifie en pleine nature. 95 cm.

Plus de blanc
sur la tête
que l'oie
du Canada

◂ Bernache nonette ○
Se voit plutôt sur les côtes Ouest d'Angleterre et Nord de la France. 63 cm.

Oies et cygnes

◂ Oie des moissons
Visiteur hivernal. 68 cm.

◂ Oie des moissons du Nord
Visiteur hivernal venu d'Europe du Nord. 80 cm.

Oie rieuse ▸
Visiteur hivernal. Aime les marais, les estuaires, les terres cultivées. Tache blanche à la base du bec. 71 cm.

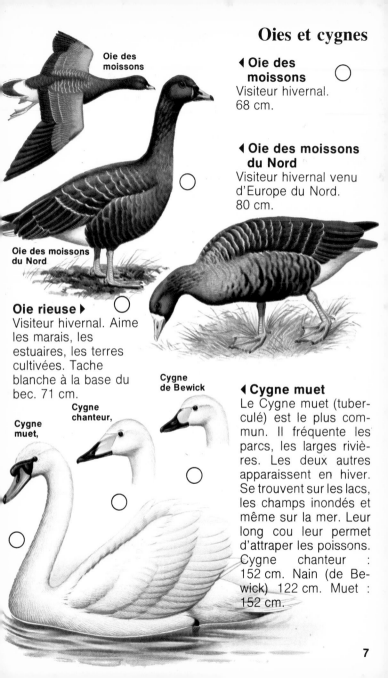

◂ Cygne muet
Le Cygne muet (tuberculé) est le plus commun. Il fréquente les parcs, les larges rivières. Les deux autres apparaissent en hiver. Se trouvent sur les lacs, les champs inondés et même sur la mer. Leur long cou leur permet d'attraper les poissons. Cygne chanteur : 152 cm. Nain (de Bewick) 122 cm. Muet : 152 cm.

Canards

◀ Colvert ○
Se voit à l'intérieur des terres, près des eaux. Seule la femelle émet le populaire « coin, coin ». 58 cm.

Sarcelle d'hiver ▶ ○
Le plus petit canard européen. Craintif, il préfère les berges des lacs. A des battements d'ailes très rapides. 35 cm.

◀ Canard siffleur ○
Il se pose parfois sur les champs, non loin de l'eau. Vole en bandes en hiver, surtout près de la mer. « Weou » crie le mâle. 46 cm.

Canard pilet ▶ ○
Se sert de son long cou pour se nourrir de plantes subaquatiques. Observez ces oiseaux en hiver près de la mer. 66 cm.

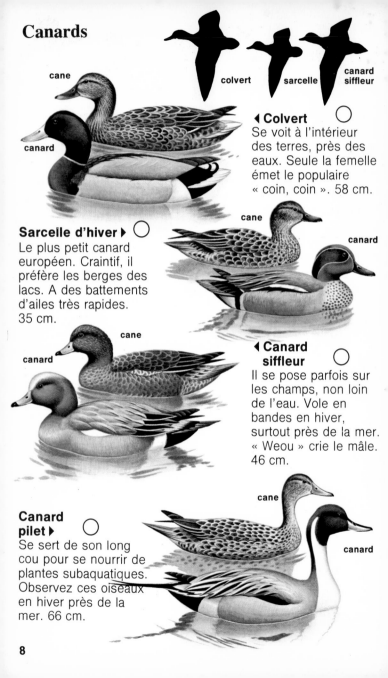

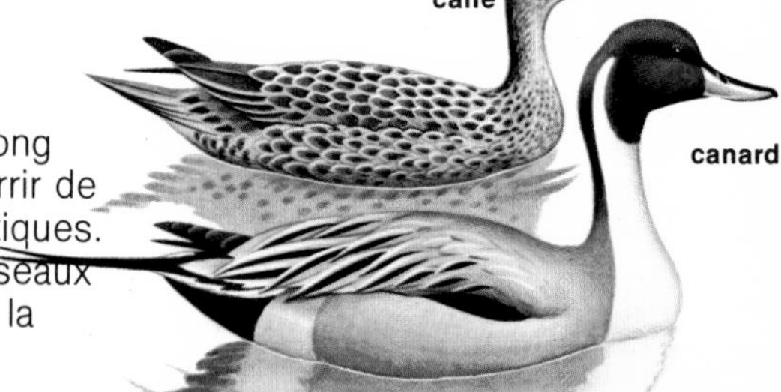

Souchet ▸ ○
Aime les lacs tranquilles, les eaux peu profondes. Son long bec filtre la nourriture. 51 cm.

◂ Milouin ○
Se repose longuement sur l'eau. Plonge pour chercher sa nourriture. Se voit en hiver. 46 cm.

Fuligule morillon ▸ ○
Encore un plongeur qui se voit en hiver, mais hante parfois des lacs ou mares en pleine ville. 43 cm.

◂ Eider à duvet ○
Se reproduit sur les rivages nordiques. Le mot « édredon » vient de son nom. 58 cm.

Canards

Garrot à œil d'or ▸ ○
En Europe, visiteur hivernal. Se voit sur la mer ou les lacs intérieurs. Souvent en bandes. Aime plonger. 46 cm.

◂ Harle huppé ○
Se reproduit près des lacs et des rivières. Visible sur les côtes, qu'il visite en hiver. Plonge sur les poissons. 58 cm.

Harle bièvre ▸ ○
Ces harles, surtout britanniques, aiment les grands lacs en hiver. Plongent sur les poissons. Crête hirsute sur la femelle. 66 cm.

◂ Tadorne ○
Commun dans les estuaires abrités. Vit en bande. Aspect lourd en vol. 61 cm.

Grèbe huppé ▸

La crête s'étend lors de la parade. Se trouve sur les lacs. Vole rarement. On peut le voir sur la mer en hiver. 48 cm.

◂ Grébion

Commun sur les lacs. Timide. Se voit rarement. A un trille aigu. 27 cm.

Héron gris ▸

Nidifie en colonies sur les arbres près de l'eau. Se nourrit de poissons, de grenouilles, de petits mammifères. 92 cm.

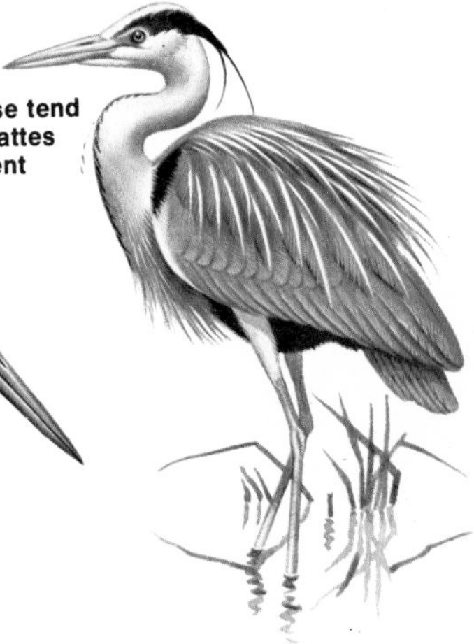

◂ Cigogne blanche

Aime les coins humides. Peut nidifier sur les toits. 102 cm.

Oiseaux de proie

Balbuzard ▸ ○
Se voit peu en été. Visite plutôt l'Europe du Nord en hiver. Se cache dans les arbres morts. 56 cm.

◂ Aigle doré ○
Se voit surtout dans le nord de l'Europe. Plane sur de longues distances. 83 cm.

Milan royal ▸ ○
Oiseau devenu rare. Niche dans les bois de chênes. Plane longuement. 62 cm.

Oiseaux de proie

◀ Buse variable ○

Grand oiseau de proie aux ailes larges et arrondies. Plane souvent très haut au-dessus des cultures. 56 cm.

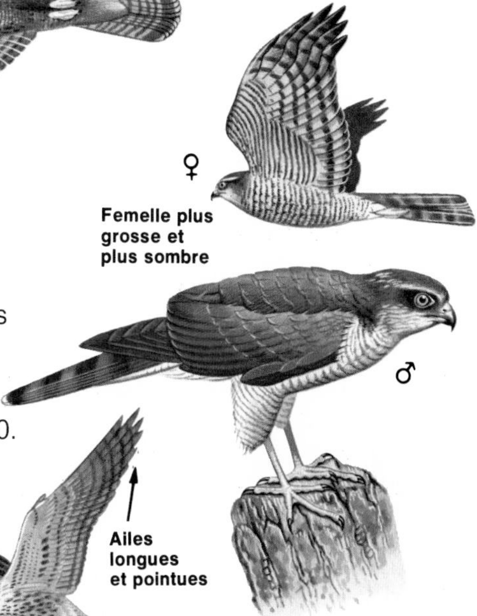

Épervier ▶ ○

Faucon qui chasse les petits oiseaux le long des haies. Femelle plus grande que le mâle, 38 cm contre 30.

◀ Crécerelle ○

Bien connu. Plane sur place. Se nourrit de mammifères, d'insectes, de petits oiseaux. 34 cm.

Oiseaux de proie

◂ Hobereau ○
Chasse les insectes et les petits oiseaux en plein vol au-dessus des collines. 33 cm.

Faucon pèlerin ▸ ○
Sur les falaises et les rochers escarpés. Fond à grande vitesse sur ses proies. 38-48 cm.

◂ Autour des palombes ○
Ressemble à un grand épervier. Vit dans les bois denses. Mâle 48 cm. Femelle 58 cm.

Bondrée apivore ▸ ○
Mange surtout des larves d'abeilles et de guêpes. 51 à 59 cm.

◂ Poule d'eau ○

Oiseau d'eaux douces, très timide mais familier dans les lacs des parcs citadins. Les petits sont marron. 33 cm.

Foulque ▸ ○

Aime plonger surtout dans les grands lacs. Bec et front blancs. Jeunes gris avec poitrail clair. 38 cm.

◂ Râle des genêts ○

Difficile à repérer dans les hautes herbes. Répète son cri « crex, crex ». 27 cm.

Râle d'eau ▸ ○

Oiseau secret habitant dans les roseaux. « Grogne ». En vol, il a les pattes pendantes. 28 cm.

Gibier à plume

Lagopède roux d'Écosse ▶
Vit surtout dans les îles britanniques. Sa variété blanche se voit dans le Nord-Europe. 36 cm.

◀ Lagopède des Alpes
Change de couleur selon les saisons. Excellent camouflage. Se laisse approcher. 34 cm.

Tétras-Lyre ▶
Souvent à la lisière des landes. Paradent en groupe devant les femelles. Femelle 41 cm. Mâle 53 cm.

Coq de bruyère ▸ ○
Ce grand tétras vit dans les forêts de conifères. Aime les pousses de pin. Mâle 86 cm. Femelle 61 cm.

♂
♀

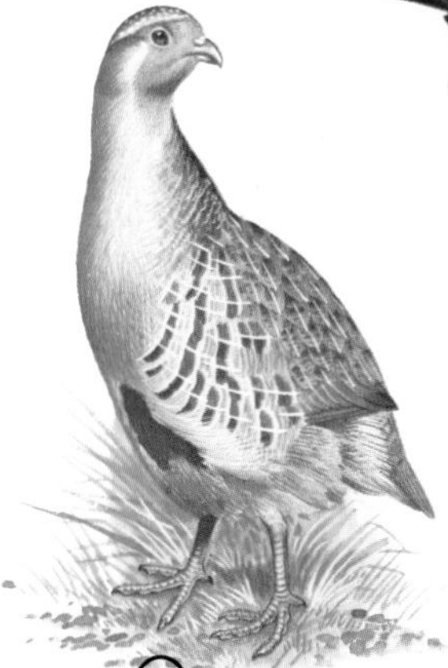

◂ Perdrix grise ○
En petits groupes sur terres cultivées. A un grinçant « Kirr-k ». 30 cm.

Faisan ▸ ○
Aime les terres cultivées avec haies. Nidifie au sol. Il a une longue et belle queue. Mâle 87 cm. Femelle 58 cm.

♂
Les couleurs des faisans mâles varient
Le cou peut être blanc
♀

◂ Perdrix rouge ○
Court plus qu'elle ne vole dans champs et terre sablonneuses. 34 cm.

Échassiers

◀ Huîtrier ○
Se voit près de la mer en hiver, surtout vers le Nord. 43 cm.

Vanneau huppé ▶ ○
En bandes sur les terres cultivées. A la saison, jolie parade en plein vol. Son cri est « Pi-ouit ». 30 cm.

◀ Tournepierre à collier
Retourne les pierres des rivages pour chercher sa nourriture 23 cm.

Pour se nourrir, les pluviers courent, s'arrêtent, se baissent toujours avec rapidité.

Pluvier (grand) ▸ ○

Près de la mer ou à l'intérieur des terres, près des sablières. Se voit toute l'année. 19 cm.

◂ Petit pluvier ○

Migrant estival. Aime sablières et galets. A des pattes jaunâtres. 15 cm.

Pluvier doré ▸ ○

Couve sur landes montagneuses. Vit en bandes. 15 cm.

Échassiers

Chevalier gambette ▸
Aime rivages et prairies humides. Croupion blanc ainsi que bord de fuite des ailes. 28 cm.

◂ Chevalier aboyeur
Plus grand que le gambette. Se voit au printemps et en automne, sur côtes et intérieur des terres. 30 cm.

Guignette ▸
Migrateur estival. Aime cours d'eau et lacs de montagne, dans les zones humides. Aime sautiller. 20 cm.

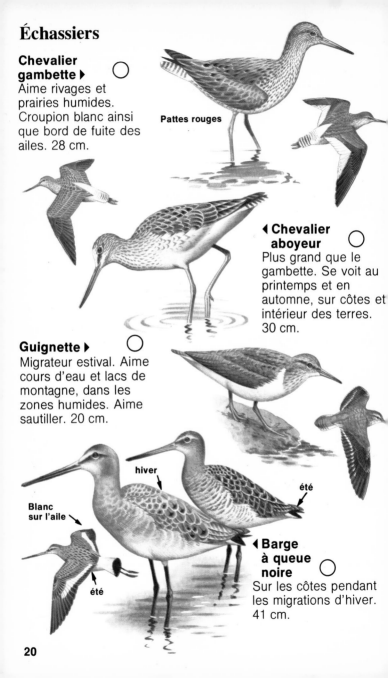

◂ Barge à queue noire
Sur les côtes pendant les migrations d'hiver. 41 cm.

Barge rousse ▸ ○
Plus petite que la barge à queue noire. Passe parfois l'hiver dans les estuaires à terre boueuse. 37 cm.

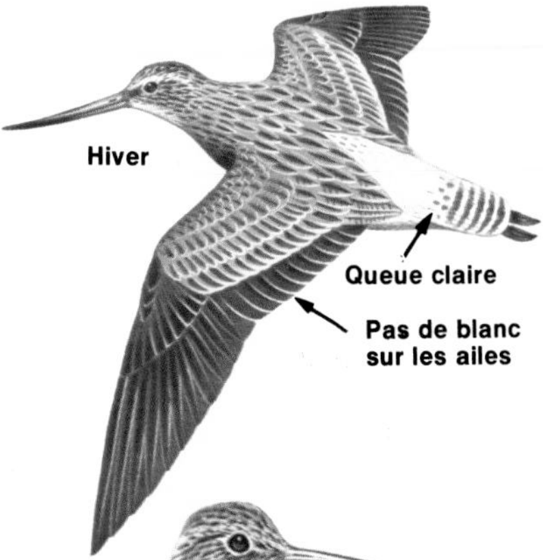

◂ Courlis ○
Nidifie sur landes et terres cultivées montagneuses. Se voit aussi sur les côtes. 48-64 cm.

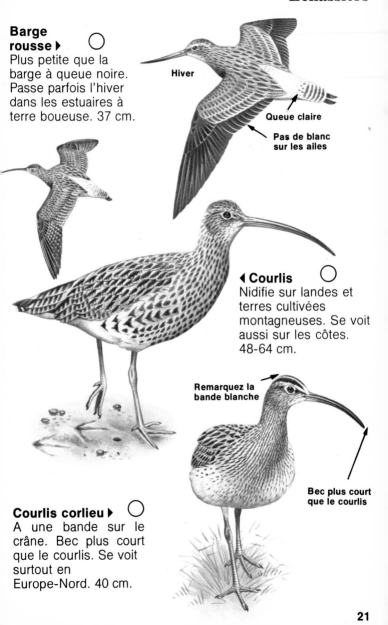

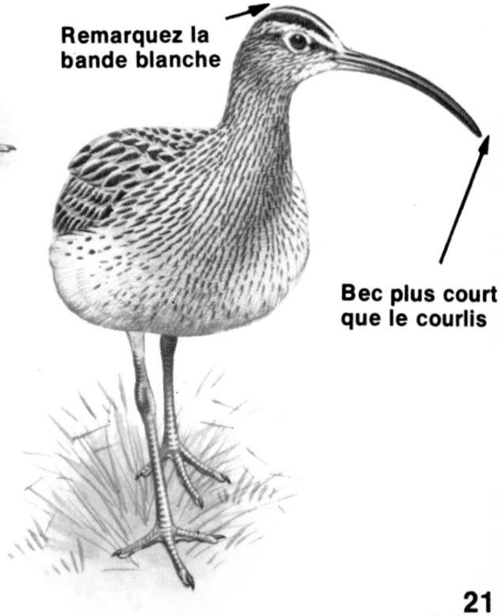

Courlis corlieu ▸ ○
A une bande sur le crâne. Bec plus court que le courlis. Se voit surtout en Europe-Nord. 40 cm.

Échassiers

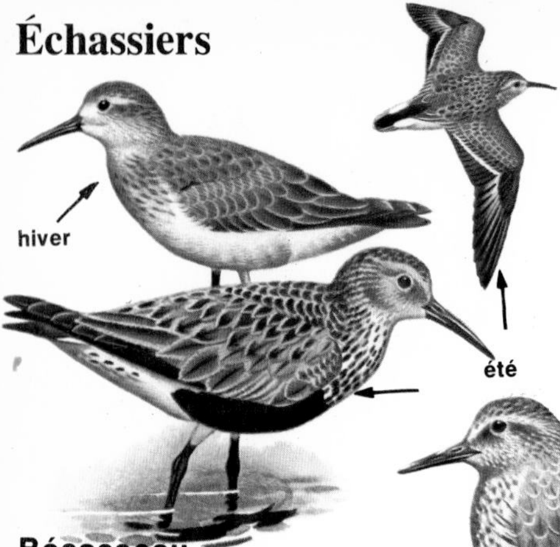

◂ Bécasseau variable ○
Visiteur commun des rivages. Nidifie sur les landes. Vit en bandes. 19 cm.

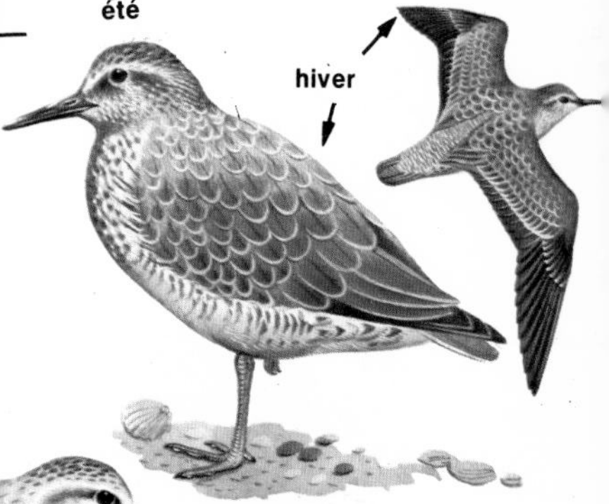

Bécasseau maubèche ▸ ○
Bandes nombreuses en hiver. Rare à l'intérieur des terres. Couve dans l'Arctique. 25 cm.

◂ Bécasseau sanderling ○
Court en tous sens au bord de l'eau pour saisir de petits animaux. 20 cm.

Chevalier combattant ▸ ○
Se voit, en Europe du Nord, toute l'année ou presque. Femelle 23 cm. Mâle 29 cm.

Bécasse ▸ ○
Oiseau timide des bois humides. Observez sa « croule » à la tombée de la nuit. 34 cm.

◂ Bécassine ○
Vit dans les champs humides, les marais ou au bord des lacs. Décolle en zigzag. 27 cm.

Avocette ▸ ○
Se reconnaît à son bec « en l'air ». Fréquente estuaires et marais. 43 cm.

Pigeons et colombes

Pigeon ramier ▸
Commun dans terres cultivées, les bois, les villes. 41 cm.

◂ Pigeon colombin
Nidifie dans trous d'arbres ou sur rochers. Souvent en compagnie de ramiers. 33 cm.

Biset ▸
Très proche des pigeons citadins dont il est l'ancêtre. En bandes. 33 cm.

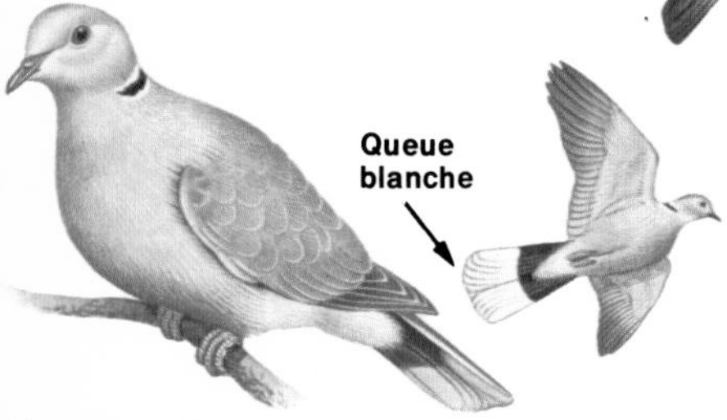

◂ Tourterelle turque
Se voit dans grands jardins, parcs ou près des fermes. Se nourrit de grains. 30 cm.

Tourterelle des bois ▸
Roucoule à plaisir dans les bois, les parcs, la campagne. 28 cm.

Pingouins et fulmar

◀ Petit pingouin ○
Bec à flancs plats. Colonies sur les falaises et rivages rocailleux. Oiseau sociable. 41 cm.

Guillemot ▶ ○
Nidifie sur falaises en groupes importants. Plus mince que le petit pingouin. 42 cm.

◀ Fulmar ○
Plane souvent en bord de mer, ailes déployées et raides. 47 cm.

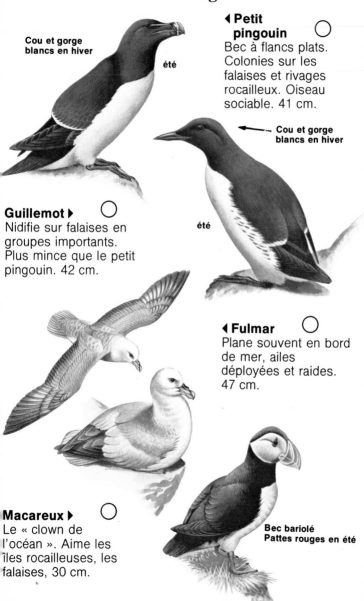

Macareux ▶ ○
Le « clown de l'océan ». Aime les îles rocailleuses, les falaises, 30 cm.

Mouettes

Mouette rieuse ▸ ○
Également mouette à tête noire. Cette tête est marron foncé, mais en été seulement. Blanc sur bord des ailes. 37 cm.

◂ Goéland brun ○
Visiteur estival. La tê
est rayée avec du gr
en hiver. 55 cm.

Goéland marin ▸ ○
Peu commun. Nidifie sur côtes rocailleuses. Souvent solitaire. 66 cm.

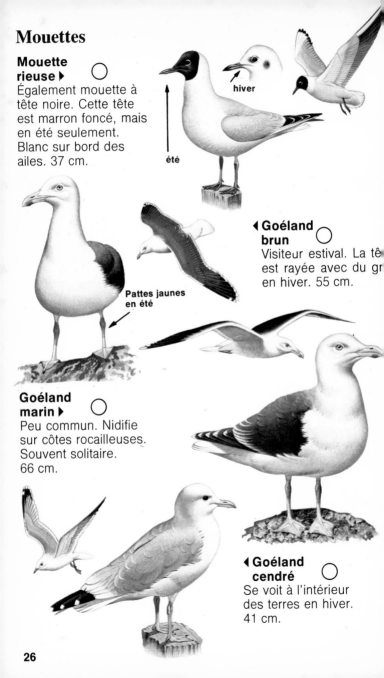

◂ Goéland cendré ○
Se voit à l'intérieur des terres en hiver. 41 cm.

Mouettes et sternes

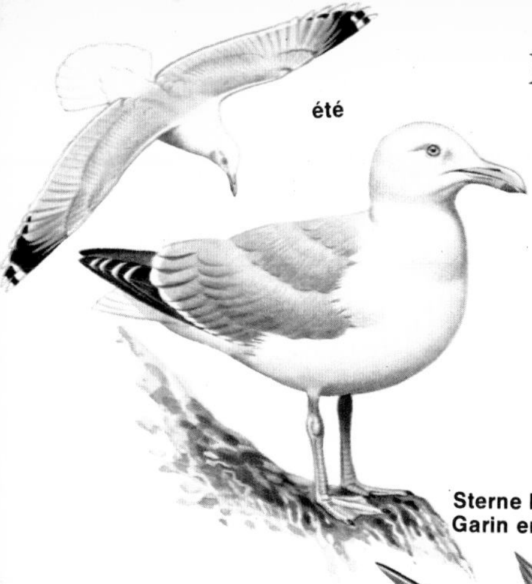

◂ Goéland argenté ○

Commun dans les villes, ports, bord de mer. Nidifie même sur les immeubles. Plumage des jeunes tacheté de marron. 56 cm.

Sterne Pierre-Garin ▸ ○

Comme la sterne commune, plonge dans l'eau pour saisir des poissons. 34 cm.

◂ Guifette leucoptère ○

Vole bas au-dessus des lacs pour mieux plonger et pêcher. 24 cm.

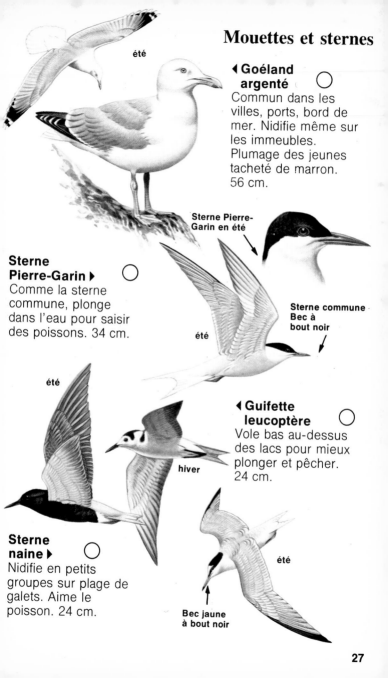

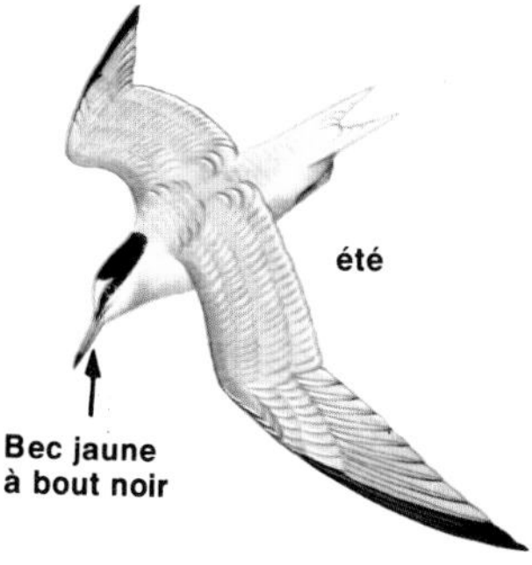

Sterne naine ▸ ○

Nidifie en petits groupes sur plage de galets. Aime le poisson. 24 cm.

Hiboux

Tous ces oiseaux caractéristiques s'observent dans toute l'Europe

Effraye ▸ ○
Reconnaissable à son masque blanc. Sort à la tombée de la nuit. 34 cm.

◂ Chouette chevêche ○
Petit hibou à tête pla
Chasse à la tombée de la nuit. Niche dan les trous d'arbre. 22 cm.

Hulotte ▸ ○
Son ululement est familier. Se nourrit aussi de petits mammifères et oiseaux. 38 cm.

◂ Chevêchette ○
Le plus petit hibou européen. En forêts de montagne. Chasse petits oiseaux. 16 cm.

Hiboux

Hibou brachyote ▸
Chasse le jour et à la tombée de la nuit. Aime la campagne découverte. Aime les petits rongeurs. 37 cm.

◂ Hibou moyen duc
Un chasseur de nuit secret. Aime les bois de conifères. Dort le jour. 34 cm.

Chouette de Tengmalm ▸
Petit hibou forestier du Nord et d'Europe centrale. Chasse de nuit. 25 cm.

◂ Petit duc
Vient d'Europe méridionale. Son « kiou » est un cri monotone. Sait se cacher. 19 cm.

Huppe, engoulevent, coucou, martin-pêcheur

Huppe ▸
Assez commun en Europe du Sud. Fouille le sol avec son long bec. 28 cm.

◂ Engoulevent
Ne sort que la nuit. Chasse des insectes en « ronronnant ». Migre en été. 27 cm.

Coucou ▸
Le chant du mâle est bien connu. En vol, ressemble à l'épervier. 30 cm.

◂ Martin-pêcheur
Couleurs éclatantes. Plonge sur poissons des lacs et rivières. 17 cm.

▼ Pic épeiche ○
Taille de la grive musicienne. Tambourine les arbres au printemps. 23 cm.

♂
Larges taches blanches sur les ailes

Le mâle a un crâne rouge
La femelle a une marque rouge derrière la tête

▲ Pic noir ○
Taille d'une corneille. Vit dans bois de pins. 46 cm.

▼ Pic vert ○
Taille d'un pigeon. Se nourrit de larves. Son cri ressemble à un rire. 32 cm.

A des rayures

▲ Pic épeichette ○
Taille d'un moineau. Front rouge chez le mâle. Vit dans les bois. 14 cm.

Le croupion est jaune-vert
♂

Tous ces pics sont continentaux et ont un vol courbe.

Martinets et hirondelles

Martinet noir ▶ ○

Vole a toute vitesse au-dessus des villes et des campagnes et en groupes. 17 cm.

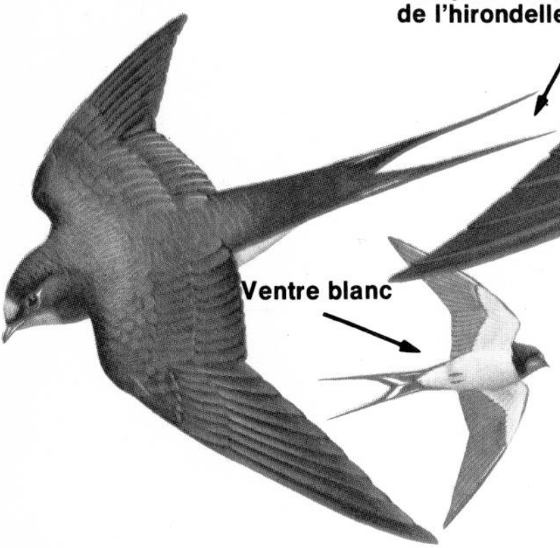

◀ Hirondelle de cheminée ○

Préfère la campagne non loin d'une étendue d'eau. Nidifie sous les toits. 19 cm.

Hirondelle de fenêtre ▶ ○

Construit son nid en forme de coupe sous les avancées des toits. Attrape les insectes au vol. 13 cm.

◀ Hirondelle des rochers ○

Nidifie dans trous de falaises sablonneuses. Migrateur estival. Vit en bandes. 12 cm.

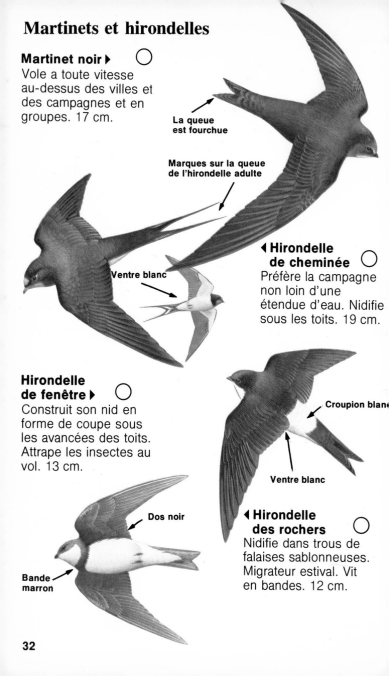

Alouette, pipits, fauvette

◀ Alouette des champs ○

Fréquente les terres cultivées. Vole à haute altitude. Chant agréable. 18 cm.

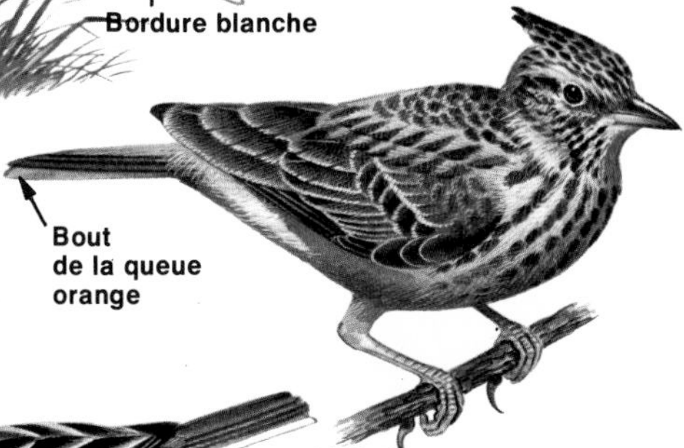

Cochevis huppé ▶ ○

Très répandu en Europe centrale et méridionale. Aime les espaces dénudés. 17 cm.

◀ Pipit farlouse ○

Se voit en toutes zones découvertes, surtout en hiver. 14,5 cm.

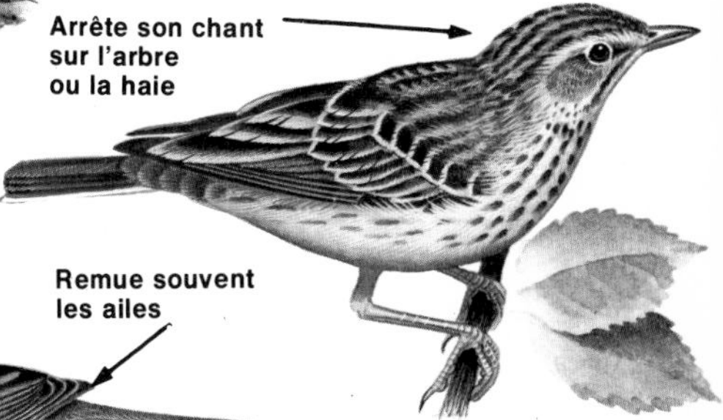

Pipit des arbres ▶ ○

Migrateur estival. Fréquente les buissons, les arbres espacés. 15 cm.

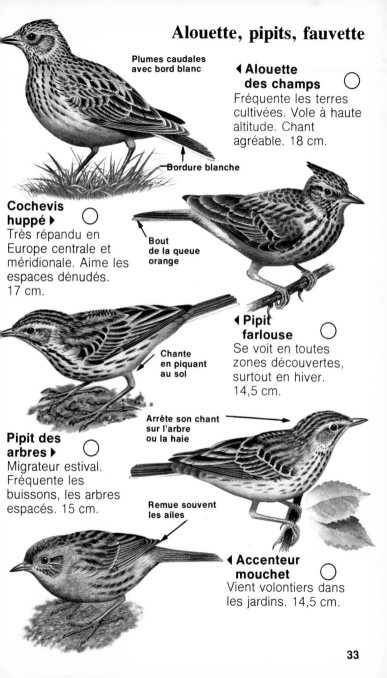

◀ Accenteur mouchet ○

Vient volontiers dans les jardins. 14,5 cm.

Bergeronnettes

Bergeronnette de Yarrell ▸ ○
Bergeronnette grise ▸ ○

Deux variétés communes en Europe. Elles fréquentent parfois les villes. 18 cm.

Tous les oiseaux de cette page « hochent la queue »

◂ Bergeronnette des ruisseaux ○

Nidifie près de l'eau dans les régions montagneuses. Le mâle a une gorge noire. 18 cm.

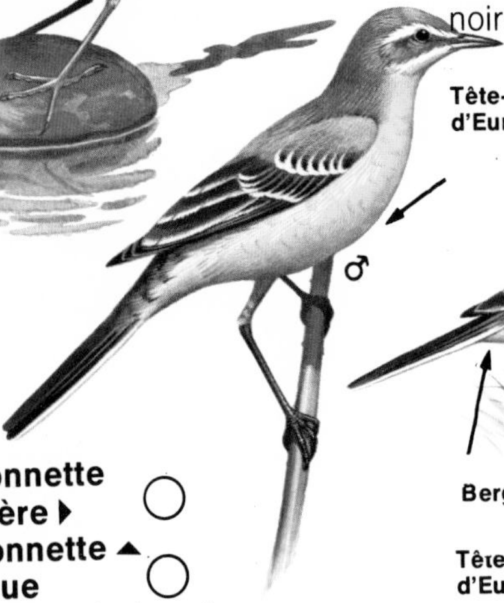

Bergeronnette printanière ▸ ○
Bergeronnette ▴ tête-bleue ○

Visiteur de l'été aimant les herbes près de l'eau. 17 cm.

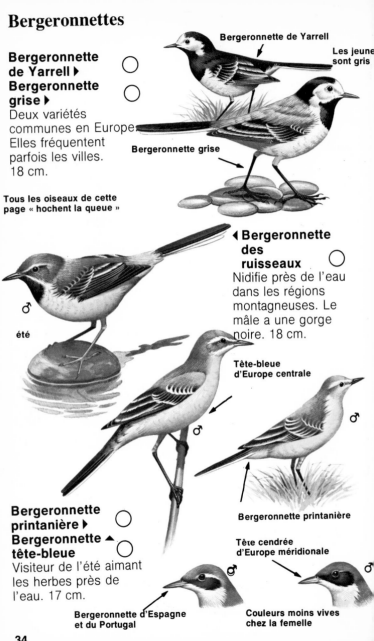

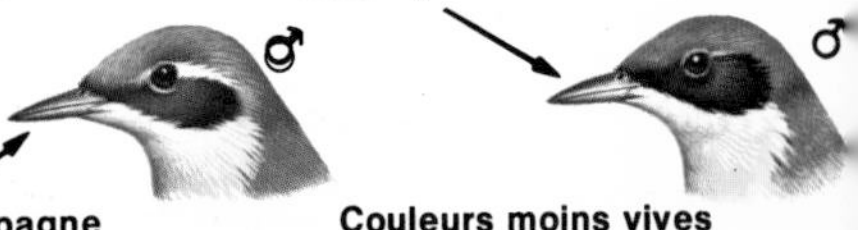

Cincle, jaseur, troglodyte, pie-grièche

En vol,
ressemble
à un étourneau

◂ Jaseur boréal ○

Vit en Europe septentrionale. Mange des baies. Visite les jardins. 17 cm.

Cincle ▸ ○

Aime les torrents, les rivières rapides. Oiseau plongeur. 18 cm.

Europe
du Nord
Se voit
en Europe
centrale

Vol rapide
malgré des ailes
minuscules

◂ Troglodyte ○

Très répandu. Chant se terminant en trille. Remuant. 9,5 cm.

Pie-grièche écorcheur ▸ ○

Mange insectes et petits oiseaux dans les bruyères. 17 cm.

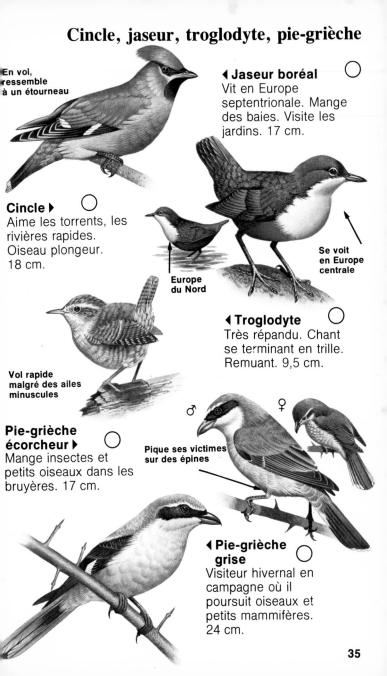

♂
♀
Pique ses victimes
sur des épines

◂ Pie-grièche grise ○

Visiteur hivernal en campagne où il poursuit oiseaux et petits mammifères. 24 cm.

Fauvettes

Phragmite ▸
Migrateur d'été. Aime la végétation touffue, souvent près de l'eau. Chante en cachette. 13 cm.

Bande blanche au-dessus de l

Croupion marron-rouge

◂ Effarvatte
Visiteur estival. Niche dans roseaux et autres plantes aquatiques. Difficile à repérer. 13 cm.

Dos marron, poitrail clair

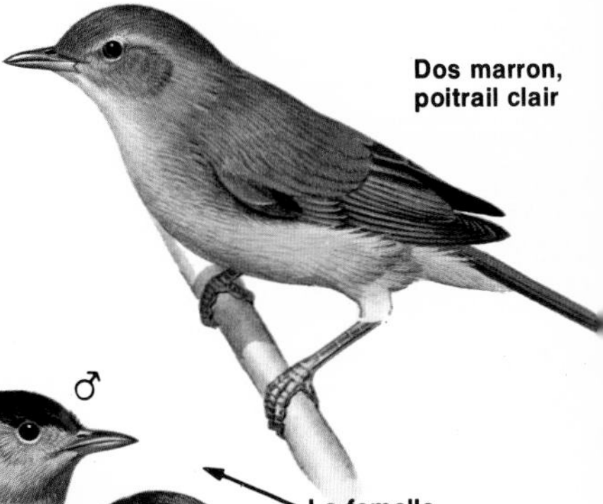

Fauvette des jardins ▸
Se cache profondément pour chanter. Aime les haies épaisses. 14 cm.

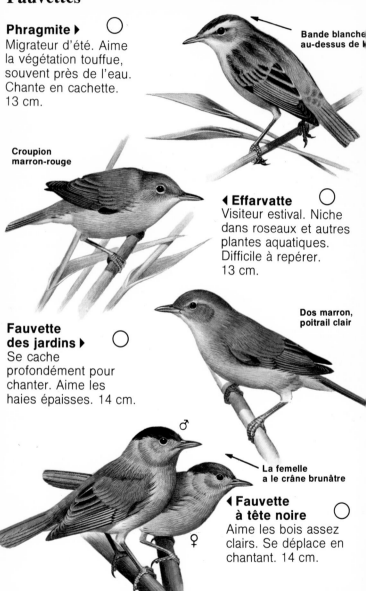

La femelle a le crâne brunâtre

◂ Fauvette à tête noire
Aime les bois assez clairs. Se déplace en chantant. 14 cm.

◂ Fauvette grisette ○

Migrateur estival ; se cache dans buissons épais. A un chant grinçant. 14 cm.

Pouillot de Bonelli ▸ ○

Visiteur estival. A un chant relativement étendu. 11 cm.

Le petit est plus jaune

◂ Pouillot véloce ○

Vient en Europe dès mars. Son chant répète « tsip, tsap » et s'entend dans les haies. 11 cm.

Pouillot siffleur ▸ ○

Un peu plus grand que les deux autres. Son chant se termine en trille. 13 cm.

Gobe-mouches et traquets

◀ Gobe-mouches noir ○
Attrape les insectes en vol. Migrateur estival. Aime les bois. 13 cm.

Traquet tarier ▶ ○
Migrateur de l'été. Aime la campagne découverte. Chante « tic-tic ». 13 cm.

◀ Traquet pâtre ○
Son « tak-tak » ressemble au choc de deux pierres. Niche dans les bruyères. 13 cm.

Traquet motteux ▶ ○
Ce migrateur estival choisit les terres dénudées, mais se promène partout. 15 cm.

Gobe-mouches et rouges-queues

Gobe-mouches gris ▸ ○
Migrateur de l'été. Aime les bois découverts, les parcs, les jardins. 14 cm.

Se pose souvent sur une branche dénudée

◂ Rouge-queue à front blanc ○
Vient, en été, dans les bois découverts, les jardins. 14 cm.

Rouge-queue noir ▸ ○
Niche dans les immeubles ou les falaises. Fait battre sa queue. 14 cm.

◂ Rouge-gorge ○
Oiseau familier. Chante en hiver et au printemps. 14 cm.

Rossignol ▸ ○
On le reconnaît à son chant admirable (de mai à juin). Oiseau timide. 17 cm.

Queue rougeâtre

Grives et loriot

Grive litorne ▸
Visiteur hivernal. Se déplace en bandes. Mange des baies. 25,5 cm.

◂ Merle à plastron
Vient en été dans les régions de montagne, en passant par la plaine. Chant aigu. 24 cm.

Jeunes plus clairs et plus tachetés

Merle noir ▸
Vit dans les arbres et les buissons. Aime parcs et jardins. Il y a des merles blancs. 25 cm.

◂ Loriot d'Europe
Oiseau assez rare. Se tient au sommet des arbres. 24 cm.

Étourneaux et grives

◂ Mauvis ○
Migrant hivernal. Mange des baies et des vers au sol. 21 cm.

Grive musicienne ▸ ○
Vit dans les arbres et les buissons, mais va aussi dans les jardins. 23 cm.

◂ Grive draine ○
Grosse grive qu'on voit dans les pâturages et les landes. 27 cm.

Étourneau ▸ ○
Oiseau familier des jardins et des villes. En bandes nombreuses. 22 cm.

Mésanges

Mésange à longue queue ▸
On voit ces oiseaux minuscules dans les baies et orées des bois. 14 cm.

◂ Mésange huppée
Très répandue en Europe. Aime les bois de pins. 11 cm.

Mésange noire ▸
Aime les bois de conifères. A une grosse tache blanche sur le crâne. 11 cm.

◂ Mésange bleue
Fréquente bois et jardins. Les plumes de la tête peuvent se dresser en crête. 11 cm.

Mésange boréale ▸
Préfère les bois aux jardins. Calotte bleue. 11 cm.

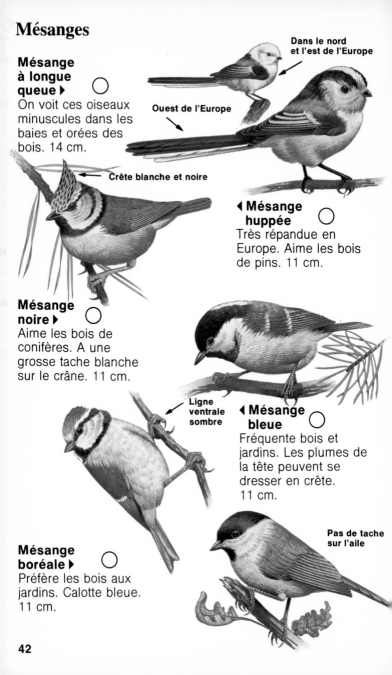

Mésange, sitelle, grimpereau, roitelet huppé

Mésange charbonnière ▸
La plus grosse mésange. Vit dans les bois et les jardins. Fait son nid n'importe où. 14 cm.

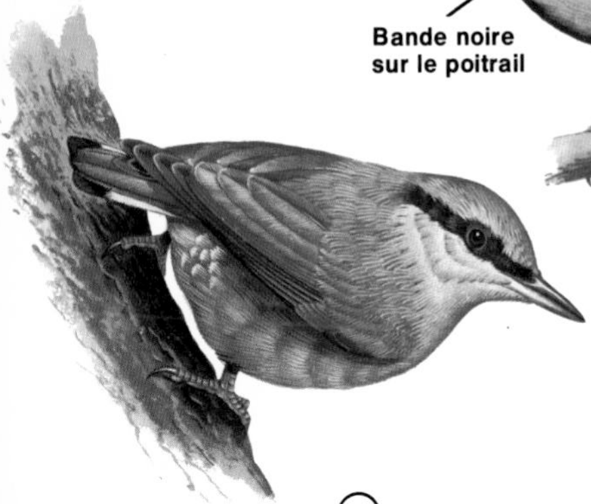

◂ Sittelle
Grimpe ou descend des arbres en sautillant. Niche dans les trous d'arbre. 14 cm.

Grimpereau ▸
Grimpe aux arbres dans toutes les positions. Chant très aigu. 13 cm.

◂ Roitelet huppé Roitelet triple-bandeau
Les deux plus petites variétés d'oiseaux européens. L'un d'eux a une calotte claire. Il est très rare. 9 cm.

Pinsons

Pinson des arbres ○ ▸
Souvent en bandes pendant l'hiver. Aime arbres, buissons et jardins. 15 cm.

◂ Pinson du Nord ○
Migrateur hivernal du nord de l'Europe. Mange grains et graines. 15 cm.

Verdier ▸ ○
Vient dans nos jardins même en hiver. Niche partout. 15 cm.

◂ Tarin ○
Petit pinson qui niche dans les conifères. Fréquente les jardins en hiver. 11 cm.

◂ Bouvreuil
Aux abords des bois, des haies, des jardins. Mange des graines... un peu trop. 15 cm.

Linotte ▸
Vit dans bruyères et terres cultivées. Fréquente parfois les villes. 13 cm.

◂ Sizerins flammé et alpin
Le sizerin flammé aime les bois de bouleaux. L'alpin vient du Nord. 12 cm.

Chardonneret ▸
Aime toutes les graines d'herbes dans les endroits découverts. 12 cm.

Bec-croisé et corneilles

◀ Bec-croisé ○
Niche dans les bois de pins. Assez rare. Mange les graines de pommes de pin. 16 cm.

Geai ▶ ○
Oiseau forestier. Chant rauque et discordant. Croupion blanc visible en vol. 32 cm.

Corbeau (grand) ▶ ○
Ce gros oiseau vit dans les zones rocailleuses. Il a gros bec. Croasse. 64 cm.

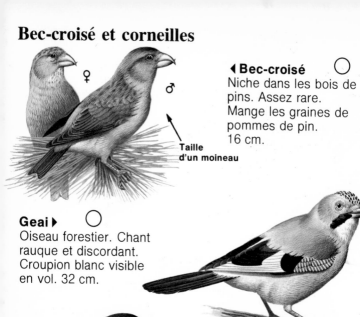

Choucas ▶ ○
Petit corbeau qui niche, en colonies, dans les vieux arbres ou les falaises. 33 cm.

Corneilles

◀ Corneille noire
◀ Corneille mantelée
Se voit seule ou par paire. La plus répandue est la mantelée. 47 cm.

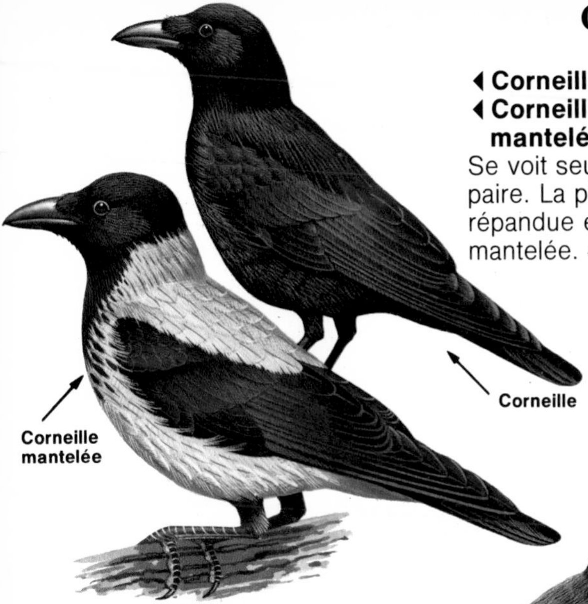

Freux ▶
Forme des bandes qui nichent dans les branches hautes des arbres. Aime les terres cultivées. 46 cm.

◀ Pie
Mange les œufs dans les nids ou les oisillons... Ne craint guère l'homme. 46 cm.

Moineaux et bruants

Moineau domestique ▸ ○
Oiseau très familier. Vit près de l'homme. Souvent en bandes. 15 cm.

◂ Moineau friquet ○
Niche dans des trous d'arbre ou de falaises. Moins commun que le moineau domestique. 14 cm.

Bruant jaune ▸ ○
Commun dans les campagnes. Se nourrit en terres cultivées. Bandes en hiver. 17 cm.

◂ Bruant des roseaux ○
Très répandu près de l'eau. Niche dans les hautes herbes. 15 cm.

Bruant proyer ▸ ○
Aime les champs de blé. Chante du haut des poteaux ou des branches. 18 cm.

Retrouvez les couleurs de ces oiseaux

Pouvez-vous identifier ces oiseaux
et les colorier correctement ?
Les noms sont en bas de page.

1 : faisan mâle ; 2 : martin-pêcheur ; 3 : mésange bleue ; 4 : tourterelle turque.

Identifiez les serres

A quels oiseaux appartiennent ces serres ? Solutions à l'envers, en bas de page 51.

Pic épeichette ____

Cormoran ____

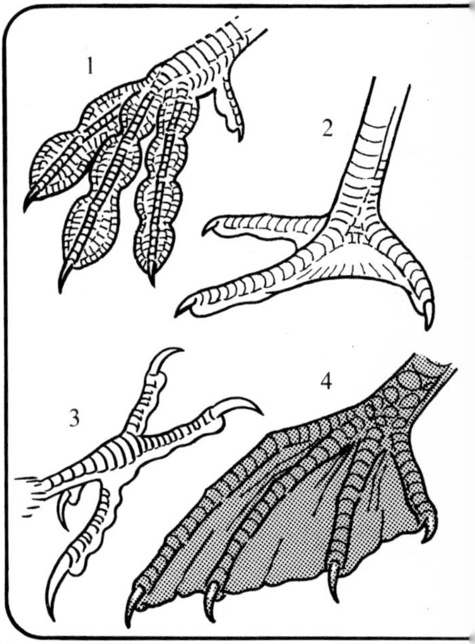

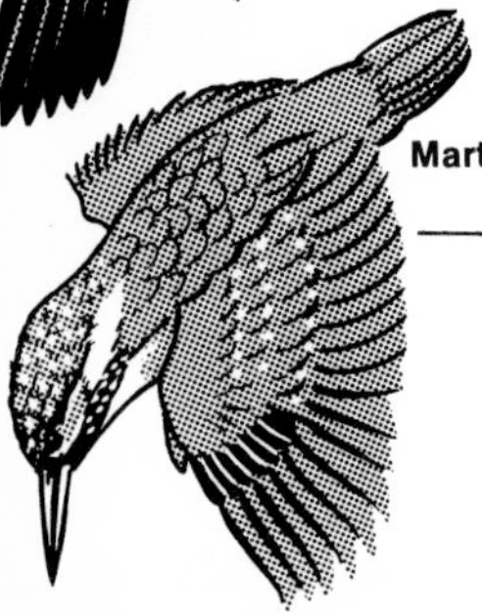

Martin-pêcheur ____

Colvert ____

Rouge-gorge

Aigle doré

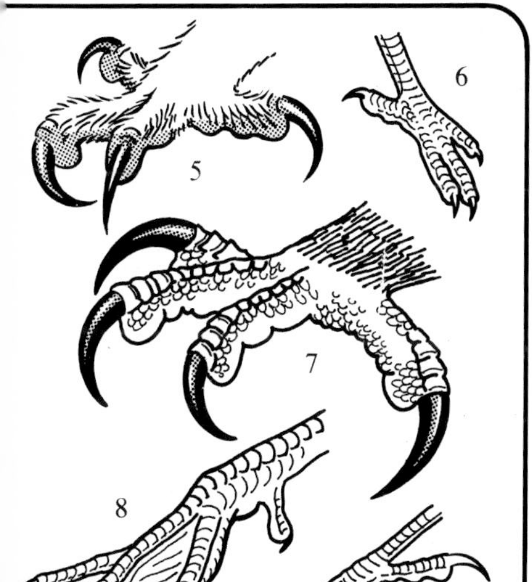

Hulotte

Foulque

1 : foulque - 2 : huîtrier - 3 : pic épeichette - 4 : cormoran
5 : hulotte - 6 : martin-pêcheur - 7 : aigle doré - 8 : colvert - 9 : rouge-gorge.

Comment se nomment ces oiseaux ?

Observez attentivement la forme de ces oiseaux et identifiez-les. Leurs noms se trouvent en page suivante, à l'envers.

1 ____________________

2 ____________________

3 ____________________

4 ____________________

1 : martinet - 2 : bécasse - 3 : avocette - 4 : grand tétras (coq de bruyère) 5 : hirondelle - 6 : fou de bassan - 7 : tétras-lyre - 8 : vanneau - 9 : grèbe huppé.

Fabrication d'une mangeoire

Pourquoi ne pas fabriquer une mangeoire pour votre jardin ou le rebord de votre fenêtre ? Vous attirerez les oiseaux et les aiderez pendant l'hiver.
Offrez-leur des cacahuètes (non salées), des morceaux de pomme, des céréales, de la couenne de lard, des miettes de biscuit, des raisins, des graines de tournesol. Nourrissez-les entre octobre et mars. L'été, ils trouvent ce qui leur faut, surtout pour les petits. Mais n'arrêtez pas trop brutalement le nourrissement.
Nettoyez la mangeoire régulièrement, à l'eau chaude.
Les schémas suivants vous indiquent comment procéder. Il vous faut :
Une planche de contre-plaqué, quatre tasseaux de bois tendre (30 cm de long, 2 cm×2 cm), 8 vis et un tournevis, de la colle, un produit pour protéger le bois, un pinceau, du fil de nylon et 4 pitons (chez un quincaillier).

Collez les tasseaux sur le contre-plaqué, retournez le tout et vissez ces pièces à l'aide de 2 vis sur chaque côté.

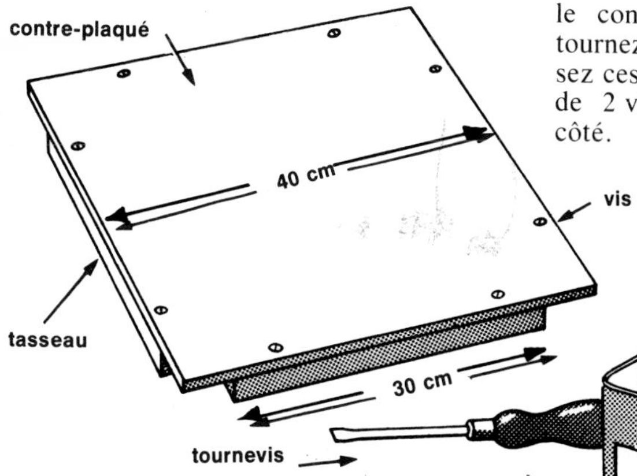

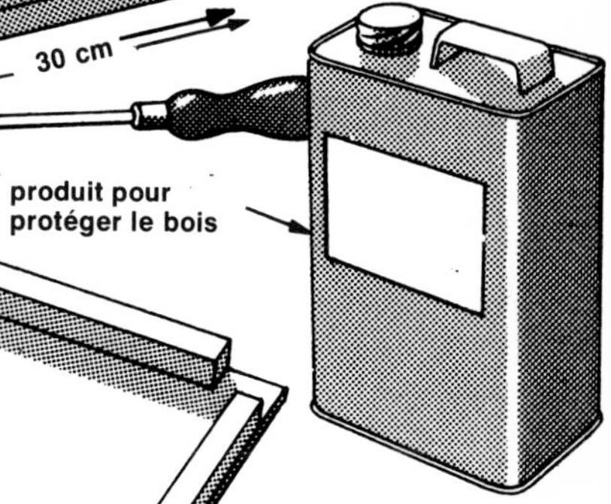

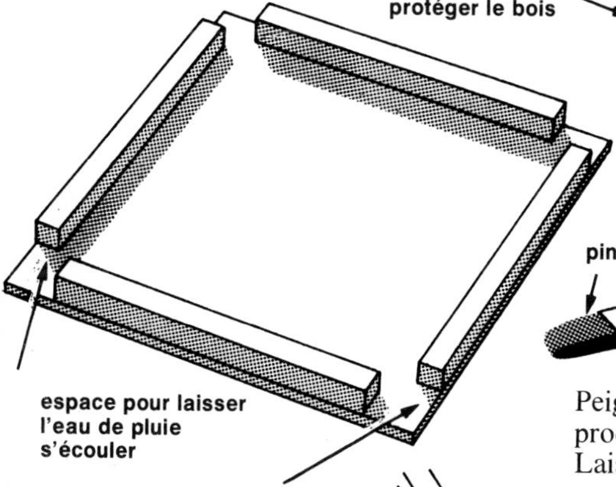

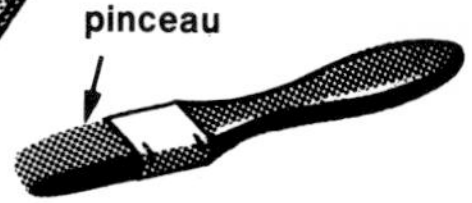

Peignez le tout avec le produit protecteur. Laissez sécher.

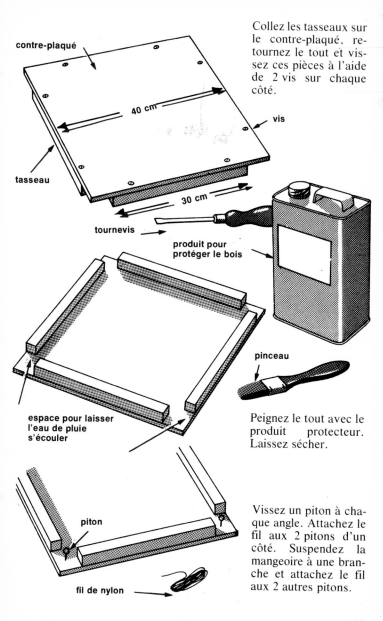

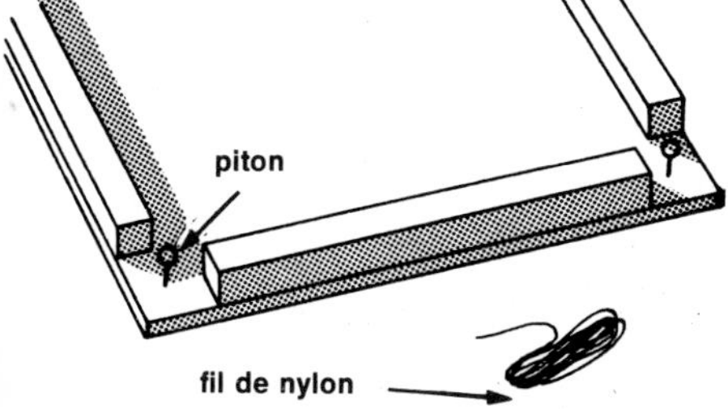

Vissez un piton à chaque angle. Attachez le fil aux 2 pitons d'un côté. Suspendez la mangeoire à une branche et attachez le fil aux 2 autres pitons.

Le recensement des oiseaux

Recensez les oiseaux qui fréquentent votre mangeoire ou les endroits où vous avez mis de la nourriture. Vous connaîtrez vite leurs habitudes. Déterminez ceux qui se nourrissent de produits naturels (vers, baies) ou qui préfèrent ce que vous leur donnez. Observez ce qu'ils prennent pour bâtir leurs nids.

La mangeoire est un bon moyen d'étude.
Notez vos observations sur un cahier, chaque semaine ou chaque mois. Poursuivez votre étude au moins sur deux ans, surtout pour les migrateurs.

Noms des oiseaux	Cochez les mois où vous apercevez les oiseaux												Nourriture		Boivent-ils ?	Se baignent-ils ?	Où installent-ils leur nid ?
	J	F	M	A	M	J	J	A	S	O	N	D	fournie par vous	naturelle			
Moineau	✓	✓	✓	✓	✓								pain		✓	✓	sous le toit
Rouge-gorge																	
Mésange bleue																	
Mésange charbonnière																	
Étourneau																	
Fauvette																	
Merle																	
Grive musicienne																	
Verdier																	
Tourterelle turque																	
Bergeronnette grise																	
Martinet																	
Hirondelle																	
Pinson des arbres																	

Petit lexique

Colonie - Groupe nidifiant ensemble.

Conifères - Arbres de la famille des pins et sapins.

Couronne - ou calotte, sommet de la tête.

Couvert - haies, buissons, etc., où l'oiseau se dissimule.

Croupion - Base de la queue de l'oiseau.

Espèce - Groupe d'oiseaux ayant les mêmes caractéristiques et les mêmes comportements.

Lek - Territoire propre à la parade nuptiale.

Migration - Déplacement annuel des oiseaux d'une région vers une autre.

Mue - Chaque année, l'oiseau renouvelle son plumage.

Parade nuptiale - Parade du mâle qui veut plaire à la femelle.

Saison des amours - Époque de l'année où un couple construit un nid, s'accouple, s'occupe des petits.

Des livres à lire... des disques à écouter.

Encyclopédie des oiseaux (Gründ)
Oiseaux des pays d'Europe (Gründ)
Larousse des oiseaux (Larousse)
Guide des oiseaux d'Europe (Delachaux et Niestlé)

Il existe également de nombreux renseignements concernant les oiseaux dans les divers titres de la collection « La vie secrète des bêtes » (Hachette).

Vous pouvez aussi vous procurer des enregistrements du chant des oiseaux et constituer ainsi, peu à peu, votre discothèque.
Guide sonore des oiseaux d'Europe, par J.-C. Roché (Chants du Monde).
Migrateurs et gibier d'eau (Agence Jacana, 30, rue Saint-Marc, 75002 Paris).
Les oiseaux qui disparaissent, par G. Albouze (Adès).
L'oiseau musicien (plusieurs disques - Arpon, à Longprè, Plan de la Tour, 83120 Sainte-Maxime).

Index

Faites vos fiches

La liste des oiseaux de cette fiche suit leur ordre de description dans le guide. Pour vos observations, remplissez la case réservée aux dates en haut de colonnes, puis attribuez le score à chaque oiseau que vous avez pu observer. Additionnez les scores de la journée et vous établirez le total général.

Page	Espèces (Nom de l'oiseau)	Score	Date	Date	Date	Page	Espèces (Nom de l'oiseau)	Score			
5	Cormoran	15				10	Garrot à œil d'or	15			
5	Fou de bassan	20				10	Harle huppé	20			
5	Cormoran huppé	15				10	Harle bièvre	20			
6	Bernache cravant	20				10	Tadorne	15			
6	Oie du Canada	10				11	Grèbe huppé	15			
6	Oie cendrée	15				11	Grébion	15			
6	Bernache nonette	20				11	Héron gris	10			
7	Oie des moissons du Nord	20				11	Cigogne blanche	25			
7	Oie des moissons	25				12	Balbuzard	25			
7	Oie rieuse	20				12	Aigle doré	20			
7	Cygne muet	10				12	Milan	25			
7	Cygne chanteur	20				13	Buse variable	15			
7	Cygne de Bewick	20				13	Épervier	15			
8	Colvert	5				13	Crécerelle	10			
8	Sarcelle	15				14	Hobereau	20			
8	Canard siffleur	15				14	Faucon pèlerin	20			
8	Canard pilet	20				14	Autour des palombes	25			
9	Souchet	15				14	Bondrée apivore	25			
9	Milouin	15				15	Poule d'eau	5			
9	Fuligule morillon	10				15	Foulque	10			
9	Eider	15				15	Râle des genêts	20			
	Total						Total				

Page	Espèces (Nom de l'oiseau)	Score			
15	Râle d'eau	15			
16	Lagopède roux d'Écosse	15			
16	Lagopède	25			
16	Lagopède des Alpes	20			
16	Tétras-lyre	15			
17	Coq de bruyère	20			
17	Perdrix grise	10			
17	Faisan	5			
17	Perdrix rouge	15			
18	Huîtrier	15			
18	Vanneau huppé	10			
18	Tournepierre à collier	15			
19	Pluvier	15			
19	Petit pluvier	20			
19	Pluvier doré	15			
20	Chevalier gambette	20			
20	Chevalier aboyeur	20			
20	Guignette	15			
20	Barge à queue noire	20			
21	Barge rousse	20			
21	Courlis	15			
21	Courlis corlieu	20			
22	Bécasseau variable	10			
22	Bécasseau maubèche	15			
22	Sanderling	15			
	Total				

Page	Espèces (Nom de l'oiseau)	Score			
22	Chevalier combattant	20			
23	Avocette	25			
23	Bécasse	15			
23	Bécassine	15			
24	Pigeon ramier	5			
24	Pigeon colombin	15			
24	Bisset	25			
24	Tourterelle turque	10			
24	Tourterelle des bois	15			
25	Petit pingouin	15			
25	Guillemot	15			
25	Fulmar	15			
25	Macareux	20			
26	Mouette rieuse	5			
26	Goéland brun	10			
26	Goéland marin	15			
26	Goéland cendré	15			
27	Goéland argenté	5			
27	Sterne Pierre-Garin	15			
27	Sterne commun	15			
27	Guifette leucoptère	20			
27	Sterne naine	20			
28	Effraye	15			
28	Chouette chevêche	15			
28	Hulotte	15			
	Total				

Page	Espèces (Nom de l'oiseau)	Score			
28	Chevêchette	25			
29	Hibou brachyote	20			
29	Hibou moyen duc	20			
29	Chouette de Tengmalm	25			
29	Petit duc	25			
30	Huppe	25			
30	Engoulevent	15			
30	Coucou	10			
30	Martin-pêcheur	15			
31	Pic épeiche	10			
31	Pic noir	25			
31	Pic vert	15			
31	Pic épeichette	20			
32	Hirondelle de fenêtre	10			
32	Hirondelle de cheminée	10			
32	Martinet noir	10			
32	Hirondelle des rochers	15			
33	Alouette	10			
33	Cochevis huppé	25			
33	Pipit farlouse	10			
33	Pipit des arbres	15			
33	Accenteur	5			
34	Bergeronnette grise	10			
34	de Yarrell	25			
34	des ruisseaux	15			
	Total				

Page	Espèces (Nom de l'oiseau)	Score			
34	Bergeronnette printannière	15			
34	Bergeronnette tête-bleue	25			
35	Jaseur boréal	20			
35	Cincle	15			
35	Troglodyte	5			
35	Pie-grièche écorcheur	25			
35	Pie grièche grise	25			
36	Phragmite	15			
36	Effarvatte	15			
36	Fauvette des jardins	15			
36	Fauvette à tête noire	15			
37	Fauvette grisette	15			
37	Pouillot de Bonelli	10			
37	Pouillot véloce	10			
37	Pouillot siffleur	15			
38	Gobe-mouches noir	15			
38	Traquet tarier	15			
38	Traquet pâtre	15			
38	Traquet motteux	15			
39	Gobe-mouches gris	10			
39	Rouge-queue	15			
39	Rouge-queue noir	20			
39	Rouge-gorge	5			
39	Rossignol	15			
40	Grive litorne	10			
	Total				

Page	Espèces (Nom de l'oiseau)	Score			
40	Merle à plastron	15			
40	Merle noir	5			
40	Loriot d'Europe	20			
41	Mauvis	10			
41	Grive musicienne	5			
41	Grive draine	10			
41	Étourneau	5			
42	Mésange à longue queue	10			
42	Mésange huppée	20			
42	Mésange bleue	5			
42	Mésange noire	10			
42	Mésange boréale	15			
43	Mésange charbonnière	5			
43	Sittelle	15			
43	Grimpereau	10			
43	Roitelet huppé	10			
43	Roitelet triple-bandeau	20			
44	Pinson des arbres	5			
44	Pinson du Nord	15			
44	Verdier	10			
44	Tarin	15			
45	Bouvreuil	10			
45	Linotte	10			
	Total				

Page	Espèces (Nom de l'oiseau)	Score			
45	Sizerin des Alpes	25			
45	Sizerin flammé	15			
45	Chardonneret	10			
46	Bec croisé	15			
46	Geai	10			
46	Corbeau	15			
46	Choucas	10			
47	Corneille noire	10			
47	Corneille mantelée	15			
47	Freux	10			
47	Pie	10			
48	Moineau domestique	5			
48	Moineau friquet	15			
48	Bruant jaune	10			
48	Bruant des roseaux	15			
48	Bruant proyer	15			
	Total				
	Grand Total				